沈黙の艦隊

THE SILENT SERVICE

かわぐちかいじ

CONTENTS

VOYAGE 86
死線〈デッド・ライン〉

指令受信完了《オーバー》
フローティング・
アンテナ
巻き下ろせ!!
フローティング・
アンテナ
ダウン！
アイ・アイ・
サー！

艦隊近づきます
距離4500
速力・針路
変わらず
洋上の護衛艦が
すでにこっちを
探知した
ここに原潜《われわれ》が
待ち構えている
ことを「やまと」は
知っている!
4200!!
それでも強引に
このラインを突破
するというのか
「やまと」!
4150!!

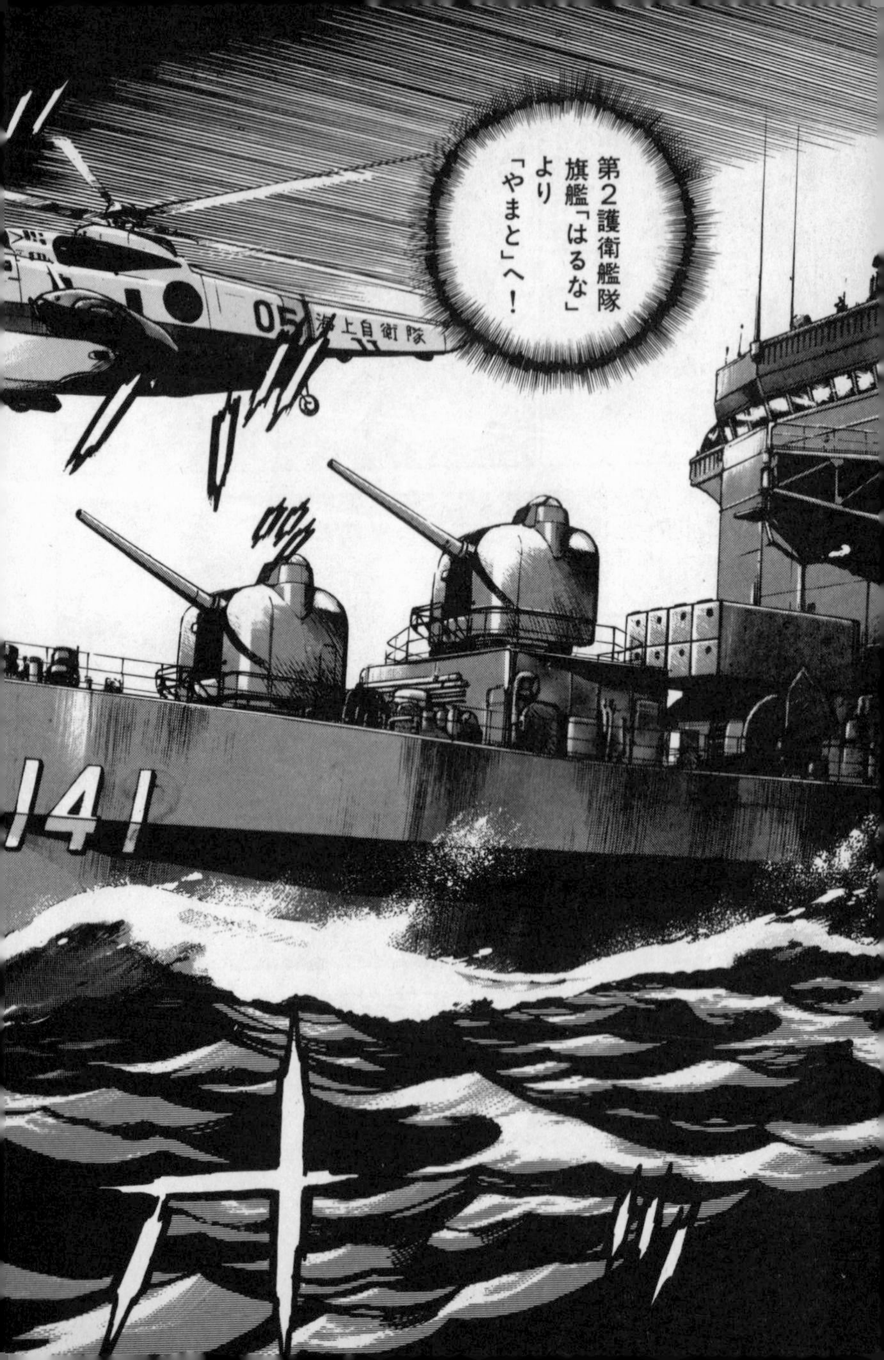
第2護衛艦隊
旗艦「はるな」
より
「やまと」へ！
海上自衛隊
05
141

「はるな」より
「やまと」へ!!

相模湾警備の護衛艦より連絡!
相模湾 水深500メートルに米原潜部隊発見!!
停船もしくは針路変更せよ!!
魚雷管注水音も確認した!
攻撃態勢にあるものと思われる!
繰り返す停船もしくは針路変更せよ!!

艦長「はるな」から停船・針路変更指令が発せられています
米原潜が待っている!
停船してはならん……
本艦針路・速度このまま!
ハッ
ザザァァァ

司令「やまと」は応じませんどうやら突っ切るつもりです！
現在の対空迎撃態勢を対潜攻撃に変更せよ
海江田には突破できる確信があると思える
各艦に連絡
ハッ
0 5
現在相模湾を航行中のタンカー及び一般船舶はあるまいな

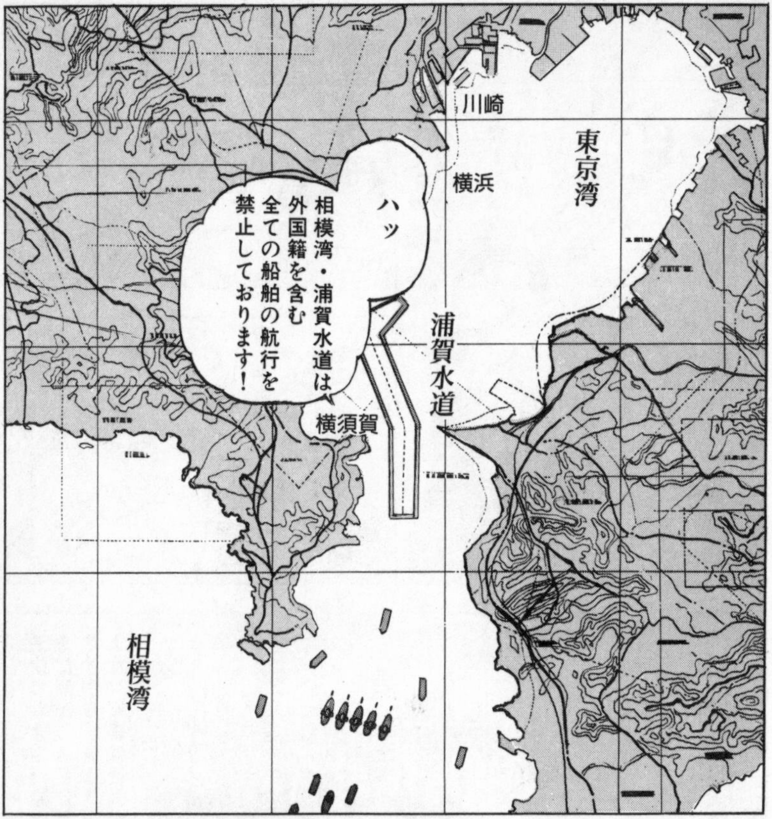
川崎
東京湾
横浜
ハッ
相模湾・浦賀水道は外国籍を含む全ての船舶の航行を禁止しております！
浦賀水道
横須賀
相模湾

また湾口付近にいて外洋への退避可能な船舶には　ただちに退避するよう命令が出されております
東京湾内の一般船舶の数は!?

浦賀水道を含め タンカー及び貨物船 約600隻の停泊が 確認されております
もし米原潜による 攻撃が 相模湾の このデッド・ライン で起こった場合の 被害は
あくまで「やまと」の 核魚雷応射がない 場合ですが 第1・第2護衛艦隊の 2/3を失うものと 思われます
湾岸におよぶ汚染は まだ潮流のある外洋 ですから 東京湾内 よりは被害は軽微かと ……

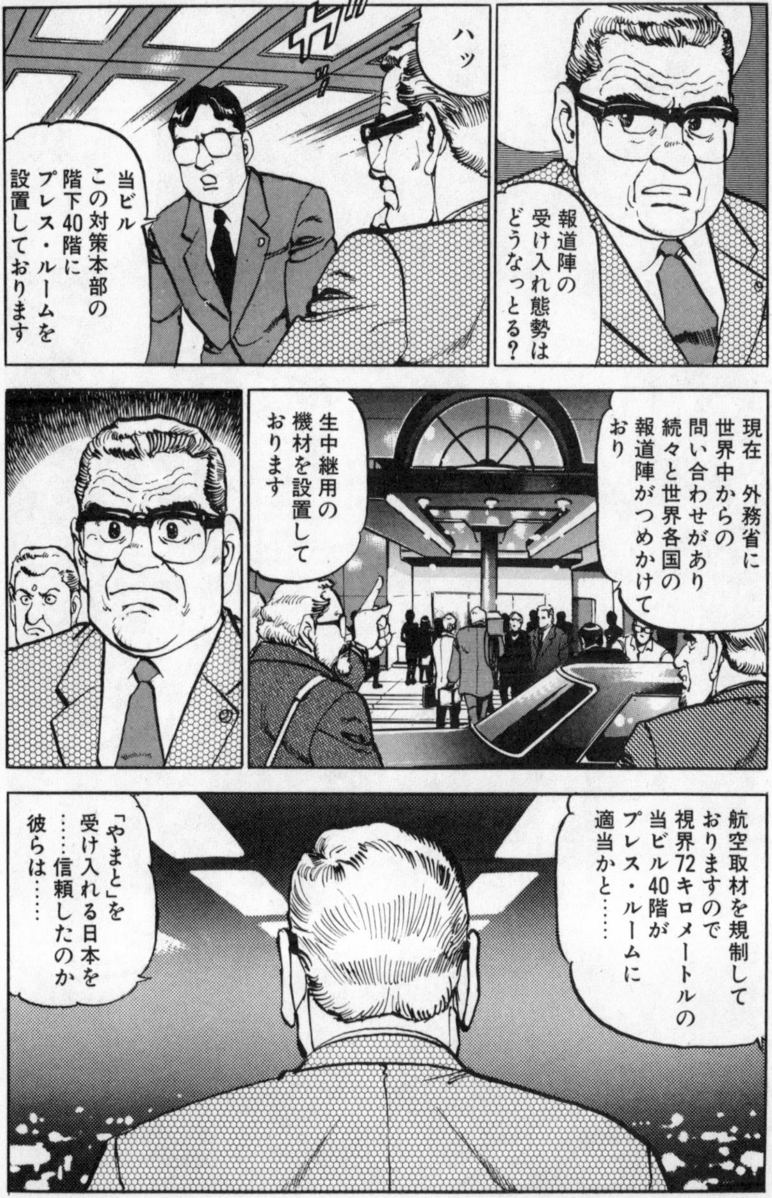
報道陣の受け入れ態勢はどうなっとる?
ハッ
当ビル この対策本部の階下40階にプレス・ルームを設置しております
現在 外務省に世界中からの問い合わせがあり続々と世界各国の報道陣がつめかけており
生中継用の機材を設置しております
航空取材を規制しておりますので視界72キロメートルの当ビル40階がプレス・ルームに適当かと……
「やまと」を受け入れる日本を……信頼したのか彼らは……

それとも
世界中が……
核に対し……
現実感を
喪失している
のか……

相模湾
司令 見えました!
第1護衛艦隊 旗艦「しらね」
「やまと」を囲む第2護衛艦隊を視認 距離4000!
停船も針路変更もせず……
どうあっても相模湾で一戦やらかそうというのか「やまと」!

各艦1列単縦陣航行！
艦幅500！大きくとれ！
米原潜の攻撃は安全距離をとり1000メートル以上から射ってくる！
各水測員アクティブ・ソナーを打ちまくれ！
全艦対潜攻撃用—意！
ピ
お〜〜っと
やはりいましたぜ艦長
距離500！方位0—0—2
5隻
息を殺して待ち伏せ《アンブッシュ》態勢です

5艦もだと！やけに大所帯じゃねーか……
「やまと」との距離は!?
約3000 20ノットで突っ込んできます 上はまるで運動会ですぜ！
水雷員へ こちら艦長 全門魚雷管 Mk48魚雷装塡《そうてん》！
3分で全門注水完了しろ！
全門注水!!
ここが「やまと」東京湾入港阻止のデッド・ラインだ 死守するつもりだろーが
勝手なマネはさせん！

距離1500
1300!
1000!!

950
!
!?
第2護衛艦隊
旗艦「はるな」
すれ違います!

ザザザ
第1護衛艦隊が
米原潜隊の
真上を通過!!
ドゴゴ
024
米原潜
エンジン
始動!!

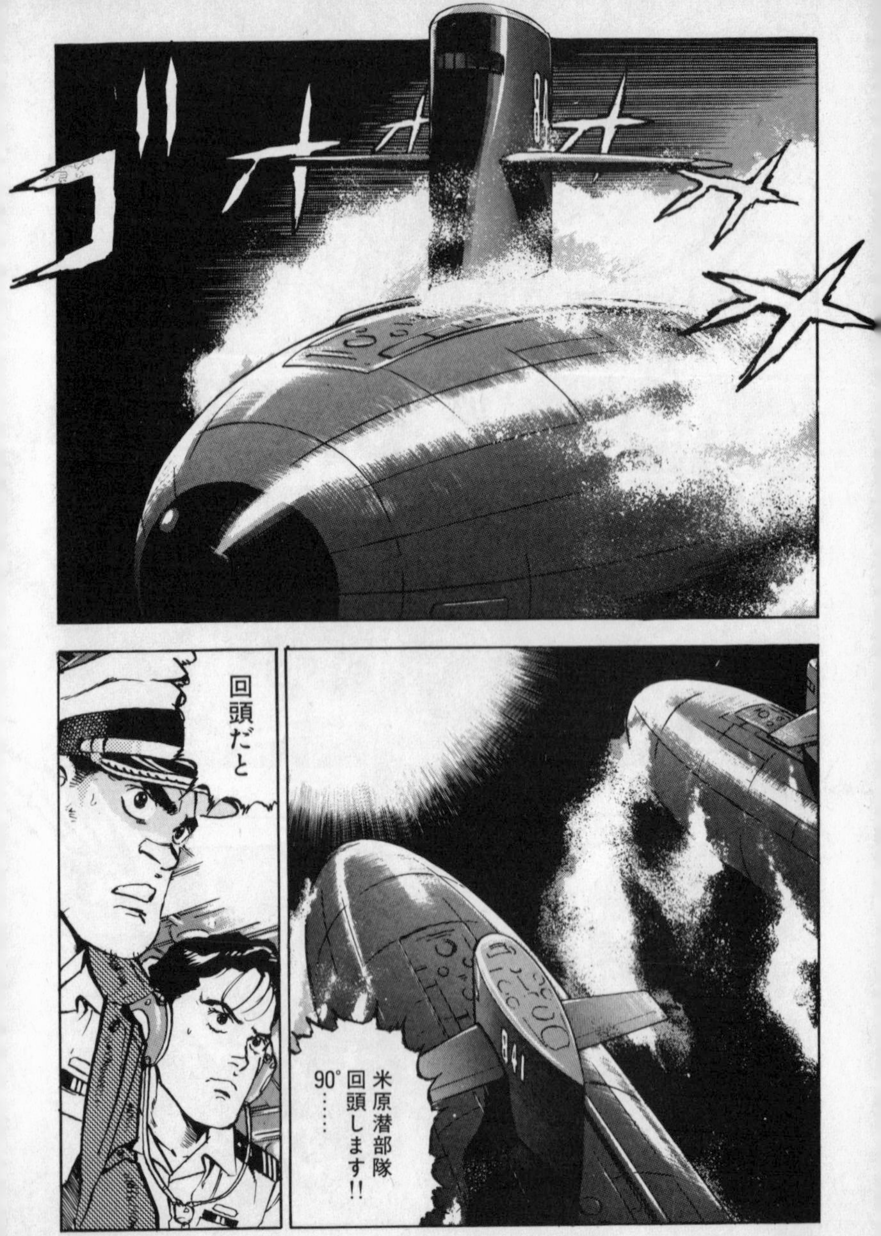
米原潜部隊
回頭します!!
90°……
回頭だと

180°で停止!
わかったぞ
閉じ込める気だ
「やまと」を!
海流わずか3ノット
水深平均30メートル
港内最狭部
2キロメートル!
何百隻もの民間船舶が
油を満載して
停船している
ヘドロの湾に!

デッド・ライン通過!!

ドオ
05
海上自衛隊
141

総理 19:50
「やまと」が浦賀水道に
入りました
米原潜からの攻撃は
ありません!
これから……
日本が
国家としての
力を
全世界に
見せなければ
ならん……!
大統領 「やまと」
浦賀水道に
入りました
原潜部隊は 全艦
湾内に向け回頭
「やまと」をロックした
との報告です!

これで「やまと」は東京湾から永久に出られない……
搭乗員が同じ日本人というだけの理由で核しか持たぬ危険な原潜をやすやすと信じ首都に迎え入れてしまう……
日本とはそのように甘くて危険な国であることを世界中が認識した……！

ベネット大統領……
「やまと」を東京湾に閉じ込めようという判断が　合衆国最大の過ちであることをのちに思い知るだろう
左舷《さげん》20°
観音崎《かんのんざき》！

VOYAGE 86 死線〈デッド・ライン〉／END

VOYAGE 87
「やまと」入港

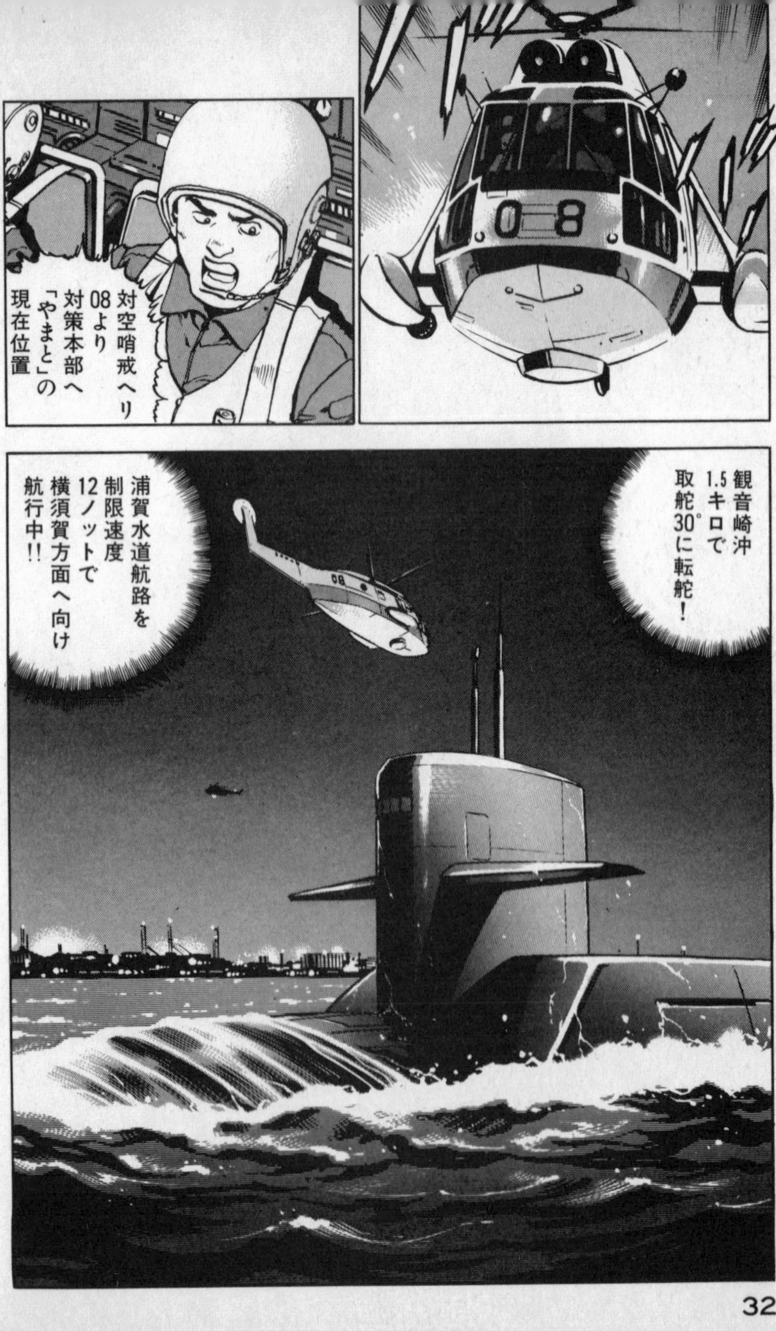
対空哨戒ヘリ08より対策本部へ「やまと」の現在位置
観音崎沖1.5キロで取舵30°に転舵!
浦賀水道航路を制限速度12ノットで横須賀方面へ向け航行中!!

いまだ停船の気配《けはい》はありません！
幕僚長《ばくりょうちょう》「やまと」の投錨《とうびょう》位置をどう推測する？
この横須賀と千葉県富津《ふっつ》岬《みさき》を結ぶラインと断定できます
ハッ

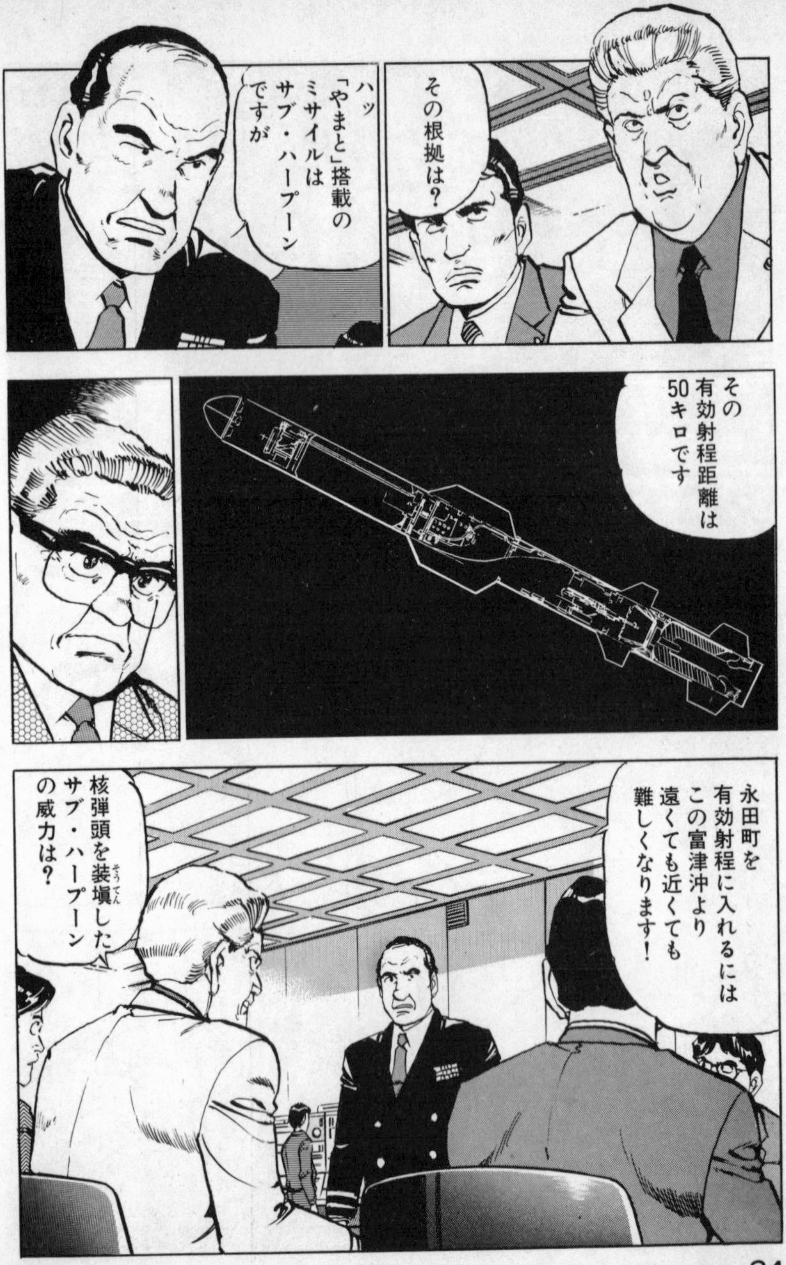
その根拠は？
ハッ「やまと」搭載のミサイルはサブ・ハープーンですが
その有効射程距離は50キロです
永田町を有効射程に入れるにはこの富津沖より遠くても近くても難しくなります！
核弾頭を装塡《そうてん》したサブ・ハープーンの威力は？

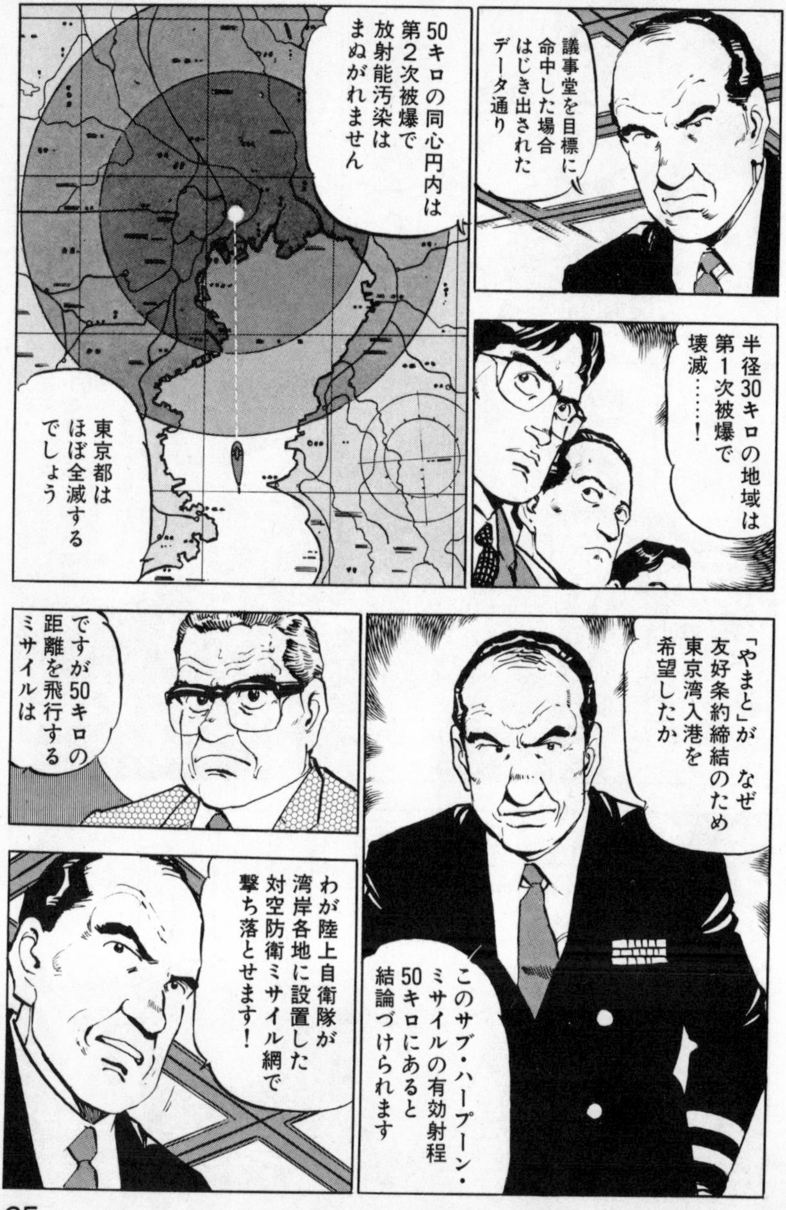
議事堂を目標に命中した場合はじき出されたデータ通り
半径30キロの地域は第1次被爆で壊滅……!
50キロの同心円内は第2次被爆で放射能汚染はまぬがれません
東京都はほぼ全滅するでしょう
「やまと」がなぜ友好条約締結のため東京湾入港を希望したか
このサブ・ハープーン・ミサイルの有効射程50キロにあると結論づけられます
ですが50キロの距離を飛行するミサイルは
わが陸上自衛隊が湾岸各地に設置した対空防衛ミサイル網で撃ち落とせます!

「やまと」がその50キロラインを越えて侵入してきた場合は？
それは考えられないことです
第1に
富津ラインより北の中之瀬航路は平均水深30メートル以下です「やまと」が離脱を考えた場合　動きがとれなくなります
第2に……
50キロ以内に入れば　自《みずか》らも被爆します
「やまと」が東京もろともに自爆するつもりなら話は別ですが

東京湾侵入はそれで説明づけられるとしても……
「やまと」はなぜ日本に軍事同盟を求めておるのか
核燃料や食糧の補給だけが目的なら
「やまと」の戦闘力を欲しがる国は　いくらでもある！
こりゃ　やはり日米安保の解消だ！日本の軍事的独立の要求以外に考えられん！
総理
「やまと」が日米安保条約の破棄を求めてきたらいかがいたしますか？
無論《むろん》日米安保条約を破棄する必要はない！

「やまと」は過去米・ソとの戦闘において　常に専守防衛に徹しているではないか！
わが国が世界にアピールしなければならないことは「やまと」も日本も
その軍事力の発揮において　専守防衛を堅守するという事実である！
船長！来ました！
今夜は朝までTV《テレビ》で生中継だってよ
独立国だってえ？
たった1隻で米第3艦隊をぶっ潰したらしい
こりゃ　何日足止めくうかわからんな

バウゥ…

左舷前方50°
猿島・横須賀港が見えてきました!
距離3000!
どこまで行くつもりです?
条約締結にふさわしい場所……
ここだ
そそこは!!

海江田艦長
あ あなたにも
家族が
おありでしょう
妻が
一人いる……
その奥さんを
危険にさらす
つもりですか!
この航海は

日本を含む全人類の恒久的な平和を求めるものだ
!……
ピ
艦長　方位0—9—2 機影《きえい》6！
横田基地から緊急発進《スクランブル》した米軍攻撃機です
在日米軍が臨戦態勢に入ったな

右30°米攻撃機
距離1000!!

ワッ
海上自衛隊
08

20：30 三沢・立川・横田・横須賀・岩国・佐世保および那覇の日本全土の在日米軍基地が 臨戦態勢に入ったもようです
各基地のゲートには一個小隊の海兵隊が武装して 警戒にあたっております！
ついに動き出したか！
付近の住民及び自衛隊各部隊に小ぜり合いを起こさぬよう厳重に注意しろ
ハッ！
日米安保条約は何があっても破棄してはならん！
だが
この有事の際在日米軍がどう動くかハッキリと見ることだ！

ガッ
さらに横浜港を素通りし川崎沖にさしかかっております
20：30「やまと」が富津岬沖で50キロラインを越え中之瀬航路に入りました
なにい！
ガッ
ガッ
ま まさか東京湾の最深部まで来るというのでは!?
バカな核を使用すれば日本も「やまと」も自滅するぞ！

これで世界中が疑っている「やまと」と日本の軍事密約を　いっそう裏付けることになりましたぞ　総理
「やまと」は自滅覚悟で核をわれわれにつきつける気です
あわてるな！
これは　東京に核を撃たないという「やまと」の武装解除にも等しい行動と判断する！
人間　正気なら面と向かって相対した相手をなかなか撃てやせんよ

しかし 総理 この距離では「やまと」のサブ・ハープーン・ミサイルは迎撃不可能……
日本は「やまと」の要求を拒否できなくなりましたぞ!
どんな要求をつきつけてくるかわからんが
21:00 東京湾御台場《おだいば》
時間です
もやのため 現在 視界200メートル!

「やまと」が現れました！
これで日本と「やまと」は
心中……だ

「やまと」より日本国政府に告ぐ！

VOYAGE 87 「やまと」入港／END

VOYAGE 88
軍事同盟Ⅰ

ピ
機影《きえい》6
方位0─2─8
距離2000!
在日米軍
攻撃機!
高度100!!

ザフオア!!

オォォン
さて 浜本大使
条約締結場所と
締結方法だが
ハッ
パコ
日本政府より 私は
条約交渉の全権を
委任されております
これが内閣総理大臣の
印の押された委任状です

調印する全権を与える
政府に提出すべきものとする
12月3日
内閣総理大臣　竹上登志雄
外務大臣　影山誠
この艦内で条約交渉が可能です！
総理と直接面談がしたい……
は？
で　では　竹上総理自《みずか》ら乗艦し交渉しろと！

それには
およばない
え!?
で
では
密室外交は
好むところでは
ない
国と国とが対等な形で
条約を締結するには
それなりの
ルールがある
この条約は
全世界のプレスの前で
誰もが認める形で
締結したい

元首である
私が上陸し
竹上総理と
交渉を行う！
まっ

待ってくれ！
それは危険だ
湾岸倉庫街《ロフト》には
米海兵隊の狙撃部隊が
おそらくあなたを
狙って
条約が締結される
まで　米軍は
私には手が出せない
だろう
米軍だけではない
この条約に反対する
人間が　日本にも
たとえ私が倒れても
この艦が無事な限り
「やまと」は存在する
23：00
上陸用の護衛艦を
用意して欲しい

「やまと」より日本国政府に条約締結場所及び方法を
通告する!!

なに!
海江田艦長
自ら
上陸!!
ガッ
ガッ
ガッ
総理!
浜本運輸大臣に
全権を委任した
はずでは!

警視庁と湾岸倉庫街《ロフト》を警備している自衛隊各部隊に連絡！
当ビル周辺の警備を厳重にせよ！
ハッ
海上自衛隊は護衛艦を「やまと」へ！乗艦・下艦《げかん》の際は特に気をつけるよう！
ハッ
面談は こちらも望むところだ 海江田！

こちら東京湾
プレスセンター
アメリカＡＢＣ
22：40
「やまと」が
声明を
発しました
条約交渉は
海江田艦長
自らが行います！
条約内容は
プレスの前で
竹上総理と口頭《こうとう》で
行うことを表明
23：30
海江田艦長が
交渉のため
上陸する
予定！

条約締結場所は当プレスセンタービルに設置
08
海上自衛隊
海江田艦長が単独で交渉に臨《のぞ》みます！

12月3日
22：58
相模湾
原潜部隊03より
作戦司令部へ
報告！
824
22：50
潜水艦探知
「やまと」の
後を追って
やたら騒々しい
日本の艦が 浦賀
水道に侵入した
深度300
針路0—0—8
速度20ノット
艦名は
「た・つ・
な・み」!!

どこまで行くつもりです
もうすぐ横須賀基地です!
「シーバット」のハープーンは有効射程50キロじゃねーか!
この調子だと海江田は御台場《おだいば》まで上《のぼ》ってる!
何故です?
ならばそんな奥まで行く必要はないはずです

御台場で艦を
南へ180°回頭すれば
どうなる!!
横須賀までピタリ50キロだ!
あ……
奴の照準は東京じゃねえ
横須賀在日米軍司令部だ!
あのヤロー東京と心中と見せかけて米軍に手出しのできない保険をかけやがった!!

23：30
東京湾
第1護衛艦群
「やまぐも」
海江田艦長を
お迎えにあがり
ました！
ご苦労……

前進微速──ッ
面舵《おもかじ》20°！

海江田艦長
プレスセンター
ビル前に
無事到着!

海江田 私は 信じている
「やまと」は いたずらに日本の 右傾化をあおる ものではない
自ら〝国連〟への 通信回線を開き この条約交渉を オープンにしたことが
その キー・ワード だ……!

独立戦闘国家
「やまと」元首
海江田四郎
日本国との
友好条約締結のため
来日しました
日本国政府
総理大臣
竹上登《と》志《し》雄《お》
貴国との
条約交渉に
臨《のぞ》みたい！

バ
バシャ
バシャ
バシャ
バシャ

日本が あの 忌《い》まわしい戦前に 逆戻りした 瞬間だ……
カイエダ せいぜい ハイカードを見せて 賭け金を上積《レイズ》みしろ
その条約が 過激で あればあるほど 「やまと」と日本は 孤立し 自らの首を 締めていくのだ!

VOYAGE 88 軍事同盟 I ／END

12月3日 23:50
海江田艦長が上陸！
日本側首脳との
条約交渉が
始まろうとして
います！
08
VOYAGE 89
軍事同盟Ⅱ

日本と「やまと」両者の間で締結される条約は　友好条約であると宣言されており
具体的にどんな条約内容になるのか明らかにされておりませんが
予想される日米安保条約破棄在日米軍基地の撤退など
深まりつつある日米の溝を決定的にする過激な要求が「やまと」より出された場合

日本政府が果たしてそれを受け入れるのか！
なにより この条約交渉の場において
前代未聞の原潜による独立国宣言を行った 海江田艦長の真意が明らかにされると思われます！

ギッ
バ
バシャ
バシャ
バシャ
バシャ

12月4日
午前0時
両首脳が
交渉の席に
着きました!!

外務大臣として
まず艦長に
聞きたい
条約の条項の
中に……
総理
「やまと」の
実際の能力を
ご存知か？
ん！
建造時における
データなら
ここにあるが
そのデータは
参考にならない
実戦時における艦の能力は
予想をことごとく上回って
いる

日本の技術陣は自らも予想し得なかった高度な潜水艦を
世に送り出したということだ
米・ソの艦隊をたった1艦で潰せるほどの……か!
日本は世界最高度の優れた兵器を作り出す技術を持っている国であるということを
まず 認識していただきたい

どうやら
自ら優秀さを誇示するとはこちらにとって都合のいいカードを切ってくれましたな
交渉は海江田ペースで始まったようですな
それにしても
ガッデム!!

何故 日本は海江田を逮捕しないのだ！
これではまるで最恵国待遇ではないか！
喉元《のどもと》につきつけられているのだ
おとなしく言い分を聞くしかない！
その 貴艦の優秀さゆえにアメリカ始め全世界が
貴艦を大変危険な存在であると考えている

私は「やまと」の性能を知った瞬間にこの艦があれば私の理想が実現できる確信を得た
何が私の理想だ!!
きさまのおかげで日本は大変な危機を迎えておるのだ!
そのためには　まず「やまと」が国家として独立することが前提であった

200年前
イギリスの
植民地支配から
独立した多民族国家が
あった……
その国も
多くの血を流し
独立を勝ち得た
やがて軍事大国となり
世界の憲兵という
名のもと
世界平和のために
強大な軍事力を
行使しようと試みた
この席で
アメリカの歴史を
ひもとく必要が
あるのか!
しかし
その試みは
失敗した

失敗?
何に失敗したのだ
……!?
もはや
われわれに失敗は
許されない
そのためには
われわれが友好条約を
結ぶことが
必要なのだ!
友好条約を
締結したと
して
貴国が何を日本に
提供できるかに
かかわらず
われわれは貴国
からの要求は
できる限り受け
入れるつもりだ
「やまと」から
日本には
何も提供はしない
……

なんだと……
それで一体
日本に
何を要求する
つもりだ!?
わが国の
存続のための
協力
それだけだ!
では 日本に
アメリカからの
軍事的独立を
求めるのでは
ないのか
日米安保条約や
在日米軍は
どうなる!?

アメリカと
日本の
友好関係は
引き続き
継続して
もらいたい！
「やまと」と
アメリカ　両方と
友好関係を保て
というのか
おわかりだと思うが
日本に選択の余地は
ない……
そりゃムリだ
日米の対立は
そもそも誰が
もたらしたと思って
いるのか！
そんな
矛盾したことが
できるか！

わが国は
世界最強の
戦闘国家
なのだ……！

袈裟《けさ》の下から
鎧《よろい》を出したな
カイエダ！
やはり 貴国とは
すみやかに同盟を
結ばねばならんな
総理……！
だが……

その前に
ひとつ
聞きたい
米・ソはデタントを迎え　世界は駆け足で軍縮に向かっている
その時期に　なぜ戦闘国家たろうとしとるのかね？
あの
世界大戦から
四十数年……
武力による
戦闘の時代を
人類は終えようとしている！
少なくとも
先進諸国間
大国間の戦争は
もうない
08
海上自衛隊

それを終わらせたのは人類が生み出した〝核〟だ……
だが戦争は終わっても
人類に〝核〟は残された
われわれは急がねばならん

今後数十年間
世界平和は
非常に不安定な
時代を迎えるで
あろう
もし　日本が
真の世界の
リーダーとして
ふるまいたければ
私の理想の
実現のため
協力しなければ
ならないのだ
海江田
君の理想とは
一体　何だ!?

世界規模の超国家軍隊の創設!!

VOYAGE 90
軍事同盟Ⅲ

世界規模の超国家軍!!

の
創設!!
こりゃ……日米安保の破棄どころかとんでもない蛇が出てきたな……!

それは　武力で
世界を支配・制圧
する軍隊という
ことか？
その通り……
その世界制圧に
日本に
協力してくれ
と言うのか!?
そうだ

確かに現在も世界のいたるところで　紛争が起こっている
だが　その紛争を調停・解決するのは武器ではなく話し合いによるべきだ！
世界の流れも軍事力から経済援助や情報で　国家と民族の問題を解決しようと努力しておる！
それでは遅すぎる……

バカげた話だ
たかが原潜1隻で
何ができると
いうのか！
予想をはるかに
上回って……
わが艦は
優秀だと
申し上げた
はずだ……
世界の平和より
自分たちの
家族のことを
考えたことが
あるのか!?
「やまと」乗員の
親兄弟が
厳しい取り調べを
受けておるのだぞ
!?

さて……条約の内容を確認したい
「やまと」が最高の能力を発揮できる状態を維持するのに必要な全ての援助をお願いする
核燃料や魚雷の補給も含まれるのか!?
当然そう考えていただきたい

条約の
内容について
異論がなければ
この場で
締結を宣言
したいが
もう一度
念を押したい
貴国が無事存在
できるための
援助はするが
日本は米・ソとの
友好関係を
破棄せず
保っていきたい！
それで
けっこうだ

こりゃ 総理は とんでもない 爆弾を背負わ されたぞ
援助だけとはいえ 海江田の計画に 参加したも 同然だ
「やまと」は 戦闘国家を 宣言してるんだ
「やまと」が世界の海で 戦闘状態に入れば その責任は同盟国の 日本も負わなければ ならなくなる
つまり 一蓮托生《いちれんたくしょう》って わけだ!

12月4日
01：58
プレスセンター
中継TV局の
電話がいっせいに
鳴り始めた

その全てが条約締結への反対であり抗議の電話は日本国内にとどまらなかった

総理！英・仏・中各首脳から抗議声明です!!
ニュージーランド・カナダ・オーストラリア・ドイツからも入りました！
日本政府は勇気を持って同盟を拒否するべきだと！
海江田は核による世界制覇を画策《かくさく》する狂人と断定する
もし 日本政府が「やまと」と同盟を結ぶなら経済制裁のみならず軍を派遣し阻止すると！

軍を派遣だと！
続いてノルウェー・フィンランド・韓国・アルゼンチンからも同様の抗議声明が！
これでは総理！
日本は世界を相手に戦争することになりますぞ！

大統領！
ソ連 アントノフ書記長から 声明が発せられました！
アメリカは毅然たる態度で「やまと」と日本の軍事同盟を阻止すべきである！
経済および武力による制裁もソ連はこれを支持すると！
EC諸国からも同様の声明が発せられております！
……

どう判断する ベイカー長官
ハッ
カイエダは 今後起こりうる 小国による 核テロリズムを 自ら演じて見せたと言えるでしょう
世界の このヒステリックな反応は 全世界に潜在する その恐怖心を 確実にヒットした 証明ではないかと!

問題は彼の戦略です “超国家軍”などと言っても 具体的には何も語られておりません
その大ボラ《ビッグ・マウス》がカイエダの戦略だ
カイエダは 今 日本を追いつめているとしか思えぬ
条約交渉開始に日本は真夜中だが米・欧は誰もが報道に釘づけになる時間を選んでいる
日本が真に同盟を結ぶべき相手であるかどうかを試すために
このヒステリックな世界の混乱を演出したのだ……だとしたら

カイエダの切り札はまだあると見なければなるまい
もはや言い逃れは
できまい!!
これで日本の犯罪は全世界に暴《あば》かれた!

日本は　マネー・パワーに飽きたらず軍事力で世界を制覇したいのだな!!
総理　ここが正念場です!
同盟は　命がけでやるものです
たとえ世界中から槍《やり》を突きつけられても

「やまと」を孤立させてはなりません！
同盟を結んで「やまと」を監視下に置けるのは日本だけなのだ！

12月4日
02・30

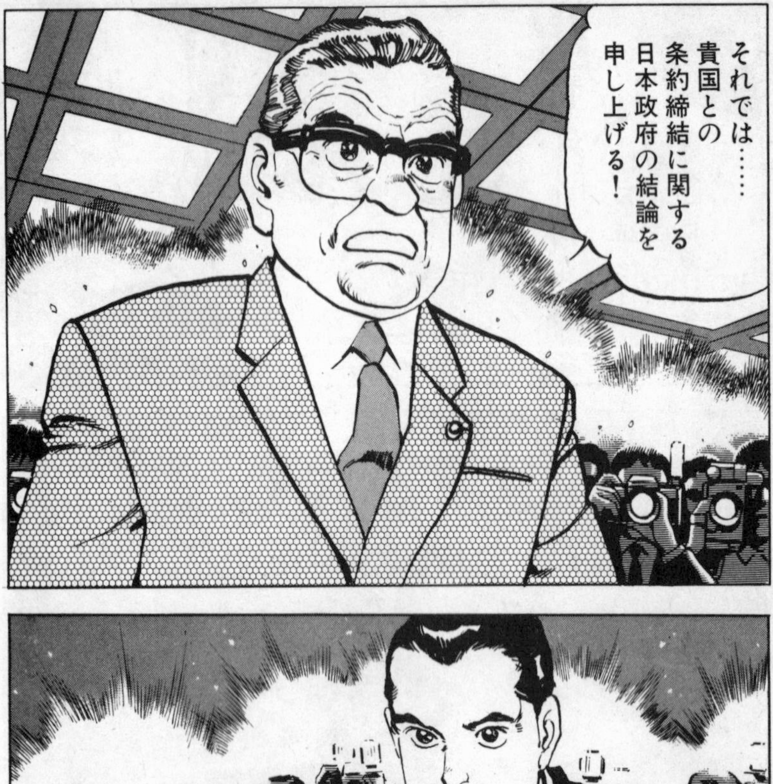
それでは……貴国との条約締結に関する日本政府の結論を申し上げる！

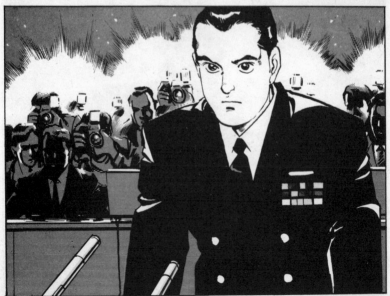

VOYAGE 90 軍事同盟Ⅲ／END

VOYAGE 91
総理の戦略

わが日本政府は貴艦の航行に対し必要な援助を行う！
だが
補給は通常戦力のみ！
核戦力の補給はできない
貴艦がなんらかの軍事行動をとる時はわが日本政府と事前協議の上必要な時は
自衛隊との共同作戦をとることを要請したい！

共同作戦だと何を言う総理!!
それはけっこうだがその際 両軍の指揮権はどちらが有するのか?
当然軍を動かす規模その大きさから見ても わが国が有することになる
それが この条約締結のためのただひとつの条件だ!!

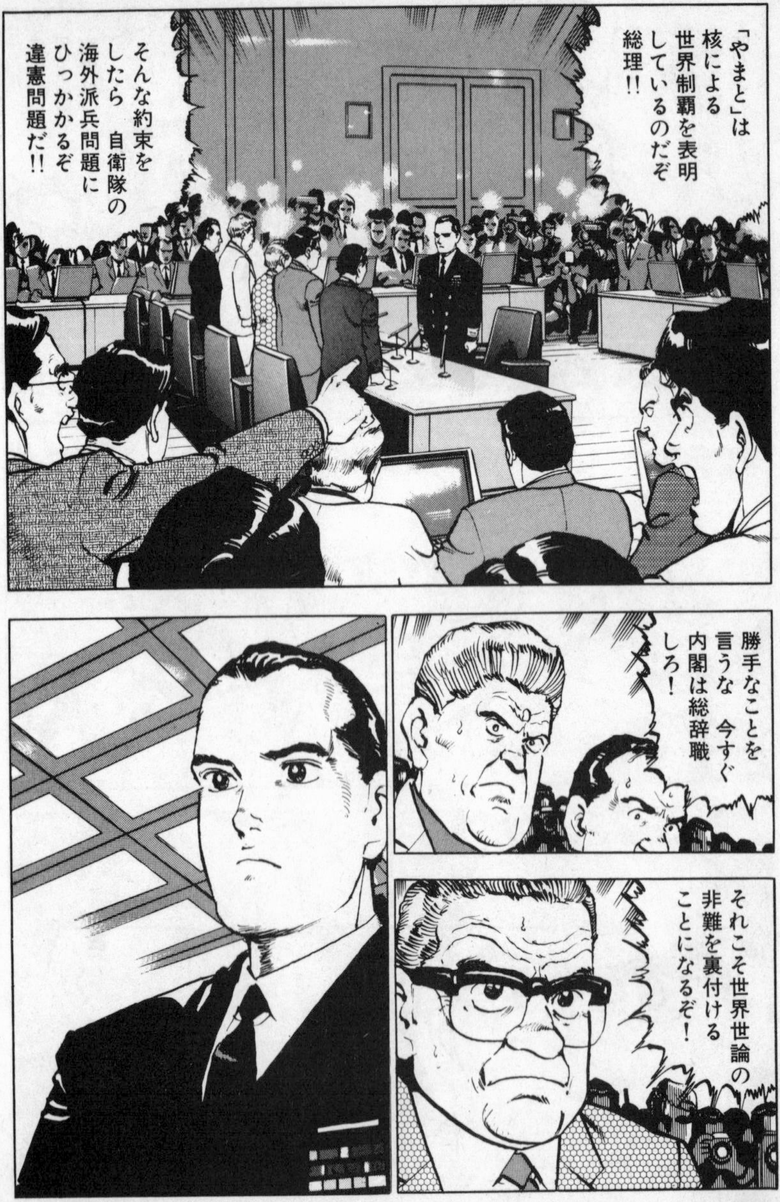
「やまと」は核による世界制覇を表明しているのだぞ総理!!
そんな約束をしたら 自衛隊の海外派兵問題にひっかかるぞ違憲問題だ!!
勝手なことを言うな 今すぐ内閣は総辞職しろ!
それこそ世界世論の非難を裏付けることになるぞ!

了解した
総理
12月4日02：30
「やまと」・日本
両首脳は
友好条約締結の
合意に達した
もようです！

ギッ
ギッ
交渉がスムーズに運んだことを喜びたい
さて調印の方法だが
過去 世界中でおびただしい数の友好条約が文書を交わすことで締結されてきた
だが友好条約の歴史は一方的な破棄の歴史でもある
条約において重要なのは調印の署名ではない

世界中の報道陣を
証人とし 互いの
口頭による了解で
済ませたいが
もちろん
日本政府も
その方法を
選択したい
条約締結まぎわに
日本政府が
持ち出した
条件により
なお 調印は
両首脳の口頭による
了解という
初めての試みが
選択されました！
「やまと」と日本は
日本政府の指揮の
もと共同軍事行動を
とることになります

バタタタ
タタタタ
「カールビンソン」を
主力とする米第7艦隊
空母機動部隊は
相模湾500キロ沖に
展開中！

「はるな」
哨戒機08より
作戦司令部へ
海上自衛隊
08

沖縄ハンセン基地
米第3海兵師団から
兵力8000人の
上陸部隊が
出動準備を
整《ととの》え
待機中!!
U.S.AIR FORCE

「やまと」を自衛隊の指揮下において
コントロールしようというつもりだろうが
総理……
ベイカー長官!
ハッ
アダムズ国連事務総長に
緊急国連総会
開催の要求を出せ!
ハッ
日本と「やまと」の世界平和を脅かす軍事同盟は　断じて許すべきではない
わがアメリカ合衆国は強い態度で条約破棄を要求する
日本政府からの回答がない場合
本日　日本時間
04:00をもって

第7艦隊
および
在日米軍は
東京制圧のための軍事行動をとると！
総理
ベネット大統領から 政府に声明です！
日本時間
04：00を
もって
首都制圧!!

総理!!
これは
威嚇《いかく》では
ありません
沖縄基地に
第3海兵師団が
集結し出撃準備を
整えているという
情報が
わかって
おる!
さて
日本と貴国は
世界平和実現に向け
共同作戦を
とることになった
わけだが
なおかつ
共同軍事行動の
指揮権を
わが日本政府が
有したわけですな
そうだ……

ニューヨークの
海原・天津
両君に伝える
これから
日本政府が発表する
声明を　よく聞き
その実現に向けて
努力して欲しい
!?
海江田君
現在
国連安保理事会
において
貴艦の起こした
事件について
審議が
なされておる
!?
国連に向けて
日本政府が
声明だと!?

審議の審判が下《くだ》るまで
陸・海・空日本自衛隊の指揮権を
わが日本政府より国連にゆだねることを表明したい！

い 今 何と
言ったんだ
自衛隊を
何だ
国連に
あずける
だと!!
02:50
日本政府が
重大声明を
発表しました!

日本政府は陸・海・空自衛隊の指揮権を放棄!
21 103
海上自衛隊
08

なんと
その指揮権を
期限つきながら
国連にゆだねると
発表!!

国連の了承が
得られれば
自衛隊と「やまと」は
ともに国連の
指揮下にあり
世界の審判を
待つという
ことになる
よろしいか！

自衛隊の指揮権を「やまと」ともども国連にゆだねる!?
バカを言え! いくら緊急事態だとはいえ 自衛隊問題は国会審議が必要なはずだ!
そんな権利が総理にあるのか 独断専行は許されないぞ!!
内閣はただちに責任をとって総辞職しろ!!
戦争を回避する最後の選択はこれしかないのだ 海江田……!

VOYAGE 92
ベネットVS海江田

総理の大いなる選択を了承したい……

「やまと」は自衛隊ともども　国連の指揮下に入ることを
承諾!!
「やまと」問題は首相発言から予期せぬ展開を見せ始めました!
バ　バカな　今　米・ソに攻撃されたら　一体　日本を誰が守るんだ!!
だが　もし国連が受け入れれば「やまと」と自衛隊が国連軍だ!!
認めるわけがない!
「やまと」は米・ソに大損害を与えてきたんだぞ!
問題解決は世界への謝罪と賠償しかない!!

日本時間02：50
一国の軍隊を丸ごと国連にゆだねるという竹上総理の申し出を「やまと」が承認！
世界史上例を見ない竹上総理の提案を現在開かれている国連安保理事会がどう評価し議決するか
注目されます!!

外務長官!
日本政府の捨て身の提案を絶対に蹴《け》れと!
ハッ
安保理事会のローゼンバーグ大使に連絡だ
イザとなればソ連とともに拒否権を発動して要請を棚《たな》上《あ》げしろ
絶対に認めてはならん
イエス・サー!
大いなる選択だと……!!

日本政府の
国連への要請を
引き出して
日本とともども
国連指揮下に入り
身の安全を図ることが
お前の最後の札では
あるまい
本当の切り札が
何なのか
ショー・ダウン
させてみるか

総理
ニューヨークの
天津外務次官から
連絡です
総理……
米大統領が
国連緊急総会の
呼びかけを出した
そうです
総会を!
あなたの決断は
日本の政治
のみならず
人類の歴史に
確実に一石《いっせき》を投じた
私は　歴史に
名を残すことを
望んではおらんよ

時を経れば永遠に世界史に刻み込まれる決断だったことがわかる
あなたは私とともに闘いぬきそのことを確認して欲しい
私に……長期政権をになえとでもいうのかね？
あなたの決断を受けて歴史に名を刻むもう一人の政治家から連絡が入る……
なに？

RRRR
プレス・ルーム！
は？ホワイトハウス？
海江田艦長に米大統領からホット・ラインが！
なに

米大統領から
海江田に
直接通話の
要求です！
大統領が自《みずか》ら
乗り出して
きた！
合衆国大統領
あの
ベネットが！
たかが
原潜の艦長に
通話を！
つないで
いただこう……
音声を
スピーカーに

03：10
米大統領ニコラス・J・ベネットから海江田にホット・ラインがつながりました
全世界注視の中米大統領自身が世界を脅かす核テロリズム犯人と会話を交わすことなど合衆国にとってもかつてない事態ですが
これで「やまと」事件は問題解決に大きく動くことが期待されます！

この電話は君を　より正確に理解するためのものだ　カイエダ
これ以上はない華やかな舞台でダンスを踊れて満足かネ……!?
あなたも合衆国のみならず人類の未来を大きく前進させるこの舞台に　大統領として登場できることを喜んでいただきたい
ニコラス・J・ベネット!

大舞台へ招待していただいて恐縮だが　カイエダ
その大胆な発言が追いつめられた犯人の開き直りでないことを心から祈っている
ところで　私はこの問題の舞台を国連安保理事会から国連緊急総会へと移した
国連参加159ヵ国の総意で「やまと」を葬る法的権限が与えられると判断したからだ
それは大賛成だ私も国連総会に舞台が移されることを望んでいた

だが 残念ながら君は国連で正義を勝ちとることはできない
「やまと」は多くの血を流しすぎた
大統領……
新しいシステムを人類が手に入れるために 過去にも血はおびただしく流されてきた
米・欧はお忘れではないだろう……
私が最初に日本と友好条約を結んだのは
私が日本人であるからではない!!

日本が宗教的正義と政治的判断を混同しないすなわち〃政教分離〃を実現した国であり
軍事というものに否定的な感情を持っている国家だからだ
そのために日本人もどれほどの血を流してきただろうか
「やまと」が流した血と「日本人」の歴史的偉業とやらと何の関係があるのか!?
国家が地球上に誕生する以前から

人間は“火”という武器をその手に持っていた
その武器を行使することで人間は自らの安全と自由を獲得したが
人間は生存する知恵とともに破滅への快楽を持っていたらしい
その後も武器を手離さなかった

そして現在
その武器が人類の
生存と自由を脅かし
われわれは滅亡の淵に
立たされているのだ

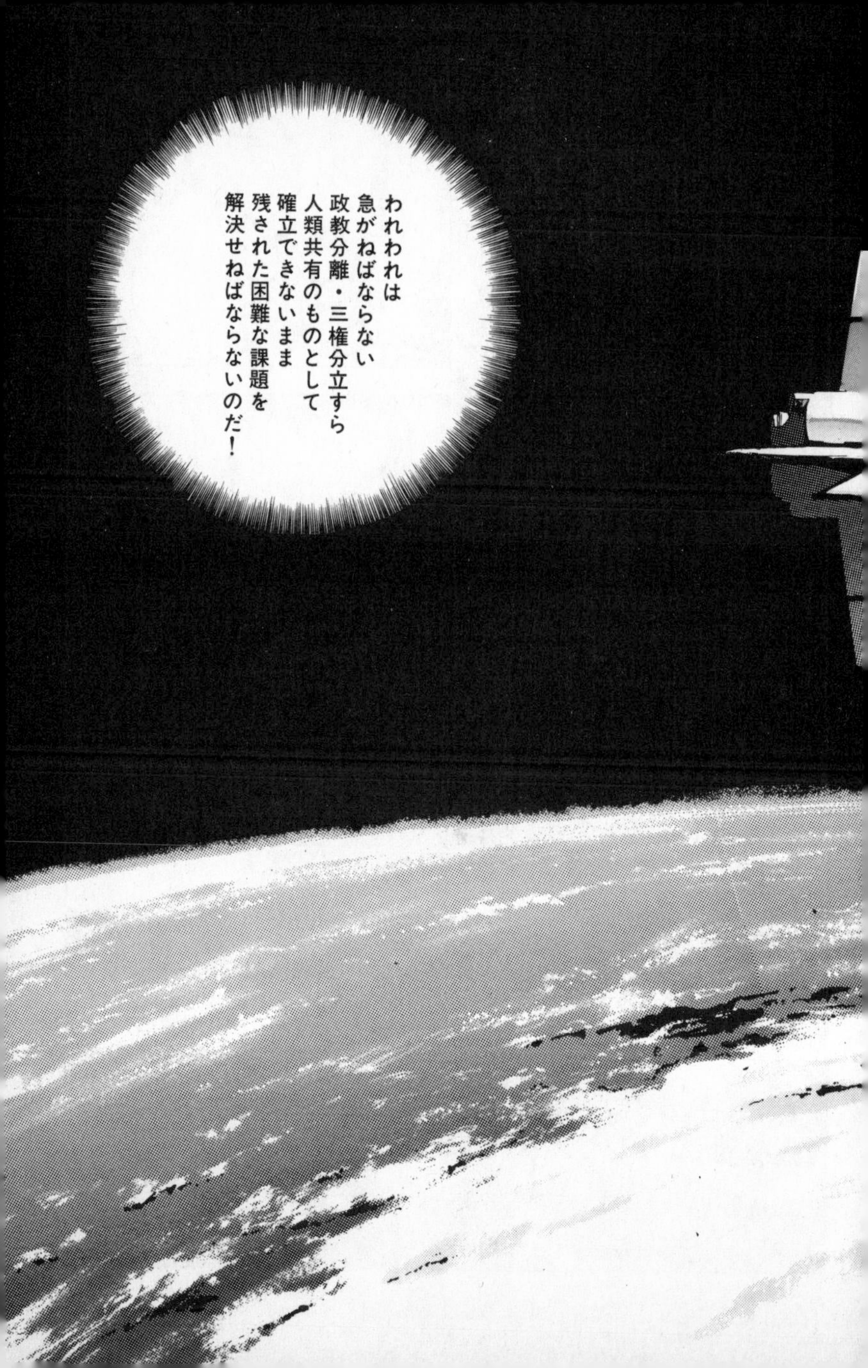
われわれは急がねばならない政教分離・三権分立すら人類共有のものとして確立できないまま残された困難な課題を解決せねばならないのだ！

その課題とは何だ!?
今日本がその理想実現への扉を叩いた
あなたはすでにご存知のはずだ!
世界がそれぞれ国家レベルで最大の火〝核〟を扱うことがどんな不幸をもたらすか
早急に人類は〝核〟を国家から取り上げなければならないのだ

人間の良心を信じれば核の廃絶も可能だ
だが三権分立の思想が悲観的人間観に基づき発想されたごとく
〝核〟もまた楽観的な方法では廃絶できない
どうやってその理想が達成できるというのだ!!
わが「やまと」の存在が　その最初の証明だ
わが国は国家から軍事力のみを摘出しなおかつ領土的野心を持たないまま存在している!
つまり
……

政軍分離は可能なのだ!!

政治と軍事をわれわれ人類はもはや切り離す時期を迎えている
でなければ人類はその手にした火によって自らを焼き尽くしてしまうであろう！

VOYAGE 92 ベネットVS海江田／END

VOYAGE 93
常設国連軍

大統領　現在
日本と「やまと」は
軍事力の指揮権を
放棄した
期限つきでは
あるが……
国家の
政治から
軍事が
切り離されたのだ
国家レベルでの
政軍分離は
世界的規模で
行われるべきだ
そして
それは
達成できる!!

追いつめられた犯罪者が口にするキレイごとに聞こえるが
いつの世も最初に語られる理想はキレイごとに聞こえるものだ
国連指揮下に入ると言ったがその時は武装解除に応じるのか？
わが国は戦闘力のみで存在する軍事国家だ武装解除には応じるわけにはいかん！

それが
核テロリストの
本音か
いずれ
世界中の軍が
私の行動に
従うようになる
〝核〟による
世界制覇かね？
抑止力として
〝核〟を持った
常設国連軍の
創設だ！

〃核〃を持った
常設国連軍!!
追いつめられた犯罪者と言われたが
ご要望とあれば「やまと」はどこへでも浮上する!
ほう……たとえニューヨークでも来るというのか!?
私は国連総会に出席するつもりだ!

ニューヨークの国連総会に出席だと!!
わが艦の修理及び物資の補給が完了すれば「やまと」はただちに出港する
ニューヨークハドソン川に浮上
国連本部ビルまでさかのぼり
国連総会の開催中にわが「やまと」は

国連総会に出席することを世界に約束する！

大変なことになりました！
米大統領が国連総会開催を要請したことに連動し
「やまと」がニューヨーク港浮上国連総会出席を表明しました！
それは楽しみだ
総会で　お会いできることを楽しみにしております大統領
では……
ボン・ボヤージュ
よい航海を祈っておるよ
ガチャ
……東京湾を脱出できると思っているのか「やまと」

バタタ・・
アダムズ事務総長！
決議を！

自衛隊と「やまと」の指揮権を　この安保理事会が掌握すべきです！
そうすれば東京湾での日・米・ソ・「やまと」の戦闘が回避されるのみならず！
国連創設以来成そうとして成し得なかった
国連主導による軍事紛争の解決が成立するのだ！積極的に審議しようではないか！
世界の非難を一時的にかわそうという見えすいた提案だ！
提案を受け入れれば「やまと」の犯罪を安保理事会が擁護することになるぞ！

各大使の意見はどうか?
確かに 日本が「やまと」を有して軍事大国たろうとする密約説の疑惑はうすれたと思われる
疑惑は増している!「やまと」は次はニューヨーク港に浮上すると表明した
今度は国連を人質にとって自らの野望達成を企《くわだ》てているのではないか!
そうではないまず「やまと」が国連指揮下に入るという意思表明だ!

〝核〟を有した国連軍を指揮し 世界制覇を企んでいないという証拠がどこにある!
〝核〟を有した国連軍の話はともかく「やまと」と自衛隊の指揮権を国連へ委《ゆだ》ねる竹上総理の提案は
戦闘を回避するという意味でもかつてない大変ユニークな提案だと考える
『国際の平和と安全を維持する』という
わが国連憲章の前文に合致することも確かだ

だが残念ながらこの提案は
あくまで竹上総理個人のアイディアという印象がぬぐえない
日本国民の総意という裏書きがなければ提案も有効性を欠き信頼性に乏しい　日本は早急に国内の意見をまとめるべきだと思う
その統一見解が出るまでの間臨時措置として「やまと」と自衛隊の指揮権をわが安保理事会の顧問組織であるところの
軍事参謀委員会にあずけ検討するのはどうか……？

とにかく
戦闘は回避
すべきである
わが国も
事務総長の
意見に賛成だ
あくまで
臨時の措置
として
同意する

事務総長
アメリカ合衆国は
この決議を
拒否する！
〝核〟を持った常設国連軍に
つながるような
重大な決議を
当安全保障理事会のみの
表決で議決すべきでは
ないと考える
わがソビエト連邦も
同意見だ 事務総長
討議の引き延ばしは
やめていただきたい
ですな！
国連緊急総会
開催を要請する！

米・ソ　両常任理事国の拒否によりこの問題は　国連緊急総会の開催を呼びかけ討議したいと思う
ただし!!
国連安保理事会は今後起こりうる紛争に大国のみの主導ではなく中・小国を含んで柔軟に対処していく必要があると考える
「やまと」と自衛隊の指揮権の問題は　日本国民の総意が正式な手続きをへて出されるまで軍事参謀委員会にて検討することを決定する！

……帰って 大統領に そう伝えよう……!
いつもこれだ! 大国の拒否権で 安保理事会の機能は停止してしまう!
なぜ この重大な提案を 真剣に審議しようと しないのか!!
とにかく道はひとつ 国内の世論統一 ……総選挙だ!

アダムズ事務総長が押し切った!?
ハッ 日本の世論統一を待って総会にかけるつもりです
単なる哲学者ではないと思っていたが
まアいいほうっておけ……ベイカーカイエダの青写真は？
超国家常設国連軍の可能性はあると思われます日本と交わした友好条約を既成事実として主旨に賛同する国の登場を待つつもりでしょう
総会出席をほのめかしたのは時間稼ぎかと……
核軍縮・政軍分離はソ連・EC諸国などにとっても確かに緊急課題です
時間がたてば賛同してくる国が現れるでしょう！

〝核〟クラブに続々と参入が予想される小国の〝核〟を押さえるには
抑止力として〝核〟を持った国連軍の存在は有効なのだ
その試案は私も持っていた
だがその国連軍とはわがアメリカ合衆国でなければならぬ!
第7艦隊及び第3海兵師団に攻撃命令を指令する時間ですが

待機だ……！
ハッ
だが「やまと」への
日本からの物質補給は
通常魚雷であろうと
許すな！
日本と国連に
厳重に通告しろ！
「やまと」がどんな
キレイごとを並べようが
東京湾から2度と出る
ことができない以上
所詮は負け犬の
遠吠えにすぎんのだ!!

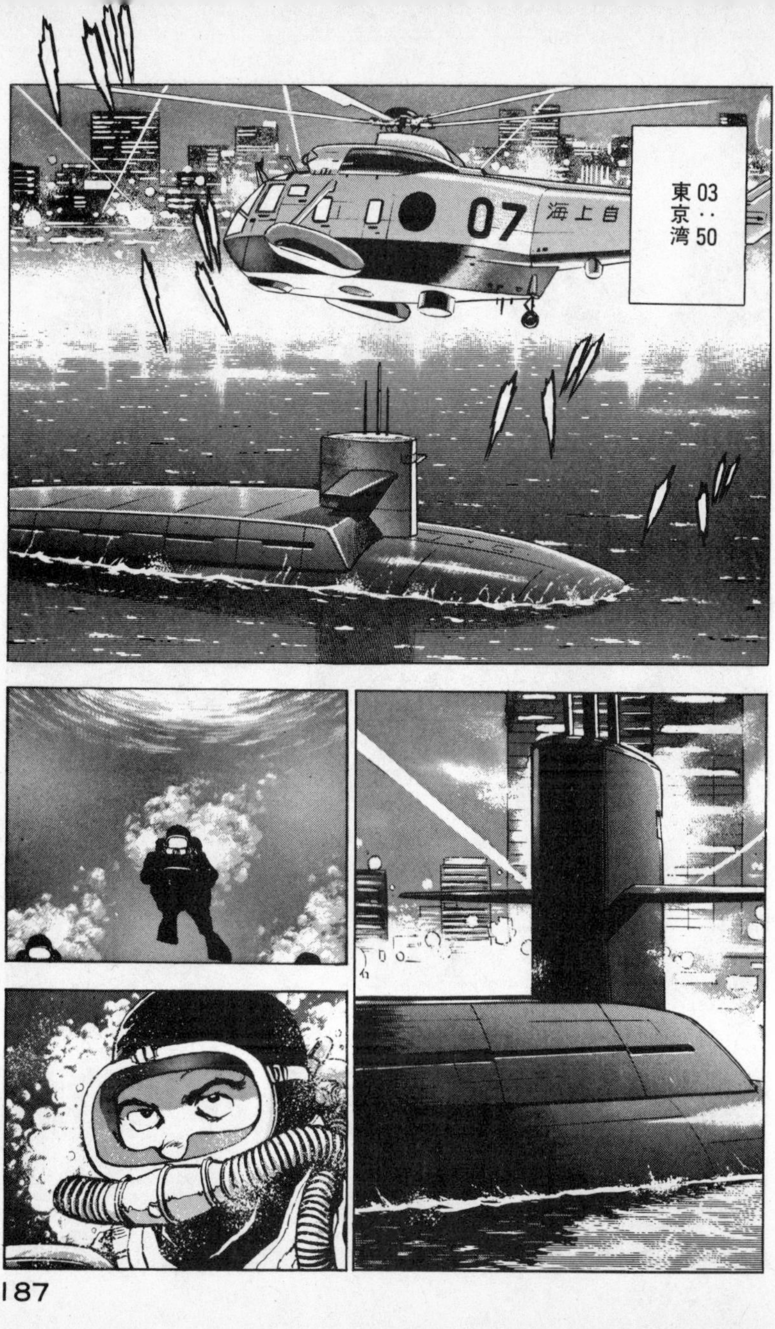
03：50
東京湾
07
海上自

副長　左舷
50メートルに
小型スクリュー音
5!
警備の　海自
フロッグメン
部隊です
潜水艦!!
なに!
方位
1—8—8
距離500!!
浮上中!!
こいつは!
ゴボ
隊長
右30°前方に
何かいます

潜水艦!!
浮上中!

「たつなみ」!!
VOYAGE 94
海から来た男

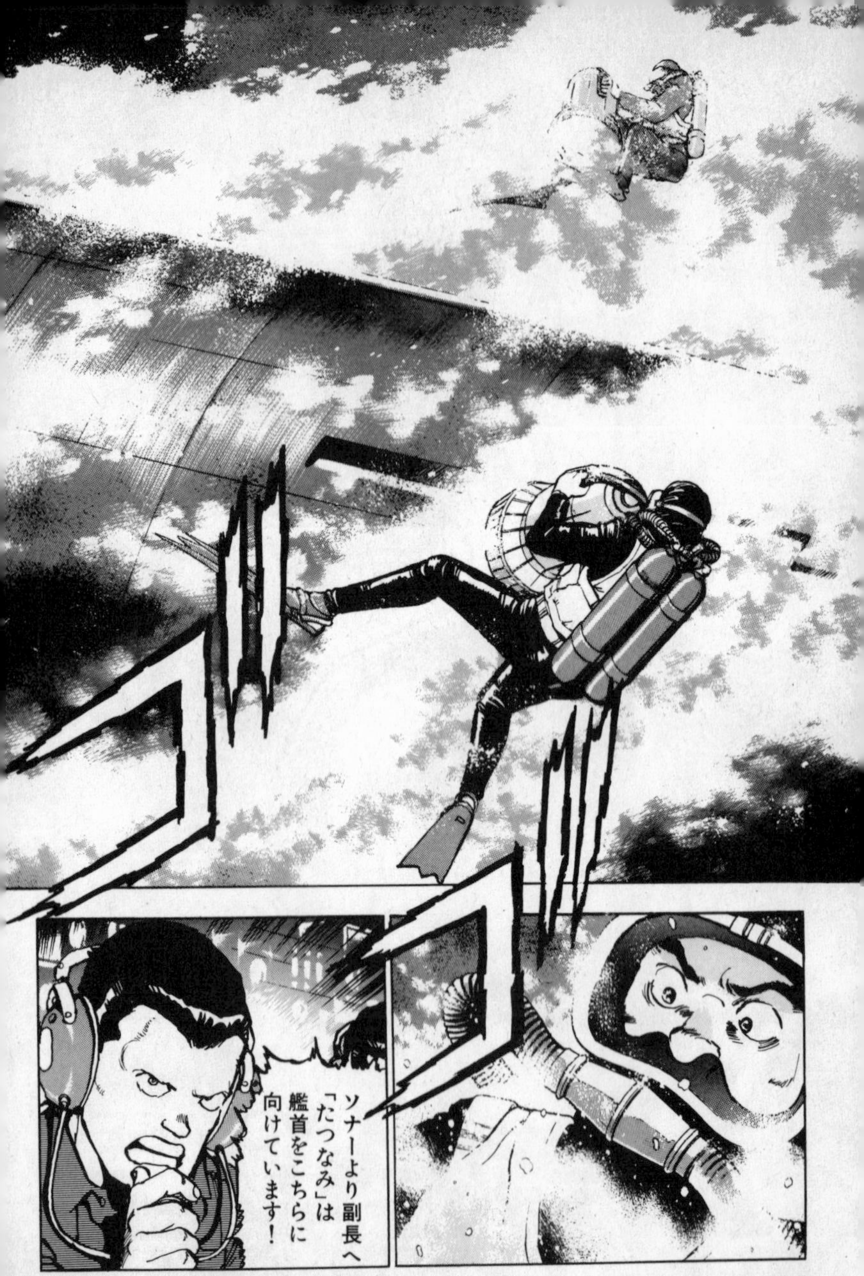
ソナーより副長へ
「たつなみ」は
艦首をこちらに
向けています！

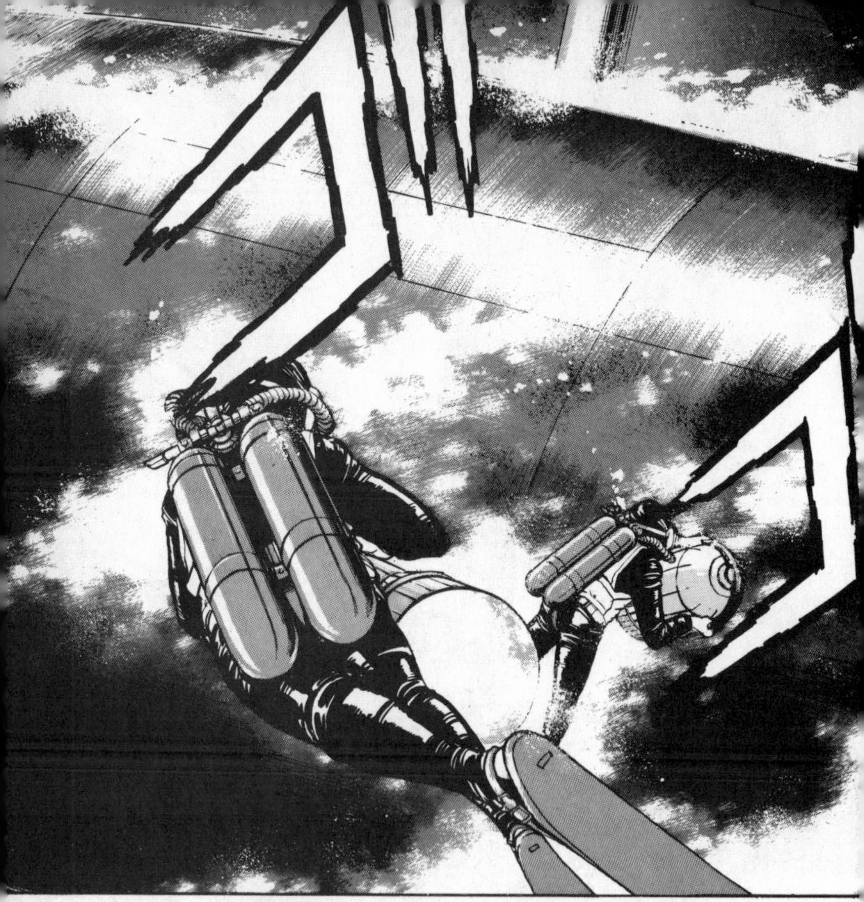

こちらを牽制《けんせい》するつもりです 艦を回しますか!?
このまま動くな!!

作戦本部へ「やまと」の右舷30° 距離400に潜水艦浮上!!
第2潜水艦隊所属「たつなみ」!!
この浮上が本部命令にそった行動かどうか 確認願います!!

こちら「たつなみ」現在指揮をとっておるのは副長の山中　きさまだろうよく聞け!!
本艦は魚雷管6門全管装填完了している!!

わが艦の位置がどんな位置かきさまにはわかるだろう！
そっちのハープーンよりこっちの魚雷がそのドテッ腹に届く方が早い!!
副長 乗っ取るつもりで来たのでしょうか？
「たつなみ」への命令が変わっていなければ……そうだ！
カチッ
誰が艦に近づいても一歩も入れるな!!
カチ
ハッ

03:55「やまと」の至近距離に第2潜水艦隊所属の潜水艦が浮上しました!!
艦名は「たつなみ」艦長は深町洋2等海佐防衛大学で海江田艦長と同期であり　同艦はリムパック演習で活躍した艦だと報告されております!
この艦の急浮上は政府も作戦本部も全く予期せぬ行動であり
成立した「やまと」との友好条約に何らかの波紋を投げかけることが懸念《けねん》されます!
全世界注視の中で日本政府も緊急な対応を迫られるでしょう!!

彼は　大胆不敵な操艦で鳴らした艦長だ
「たつなみ」への「やまと」拿捕の命令は　まだ生きてるぞ　早く命令を変更しないと何をしでかすか
とにかくマズイ！「やまと」を攻撃する姿勢は見せているが米・ソは　そうは見ないぞ
「やまと」との密約の上での行動ととる！
呼びたまえ　その艦長を
ハ!?

ここに来て経過報告しろと伝えなさい
ハッ
!
さっそく
!
これも予想された事態かネ?
彼は……時として私の予想を裏切ることがある
では……日本の国論が早急にまとまることを祈っている

日本政府の
わが国への対応に
敬意を表したい
04：00
両首脳が再び
握手を交わし
ます
この瞬間
日本と
「やまと」との
友好条約交渉が
終了しました！
日本は　この事件を
歴史的な契機としてとらえ
国論を作り上げる努力を
することを約束する

ここに史上初の国家と原潜との友好条約が結ばれました！
海江田艦長が帰艦します！

変わっていない……
ハ？
明治から百数十年日本が海洋国家であるということはいっこうに変わっていない
海の外からの圧力がなければこの国は何ひとつ大きな改革は行われないのだ！
あの男も海から来た……！

政党再編成だ
は？
この国を守る保守本流とは何か問うのだ！
「やまと」を受け入れ新しい日本を進んで作っていく党か
戦後政治を引き継ぎ今までの日本でよしとする党か……
その2つの新党に日本をまとめ上げ国民に選択を問わなければ
この危機に今の日本の政治では対応できまい

475
475
08

113

海江田ーーっ!!

この国は海の外からの圧力がなければ何ひとつ改革されない!!
やまぐも
あの男も…!海から来た……!!
475
475

VOYAGE 94 海から来た男／END

VOYAGE 95
「サザンクロス」

12月4日
05：50
相模湾沖——
船長
ニュースでは今日
臨時国会招集で
内閣総辞職だと
言ってましたが
……
SOUTHERN CROSS
日本は
これから
どうなるん
ですかネ？
どっちにせよ
こんなおだやかな
航海ではすむまい

左前方
30キロ
観音崎……
自走浮きドック
「サザンクロス」
SOUTHERN CROSS

そろそろ米艦艇の警戒海域に入る
！
10時の方角に機影です
ん
米軍機だ！
海上封鎖するつもりでは!?
いくら米軍でも日本籍の一般船舶に対しその権限はあるまい

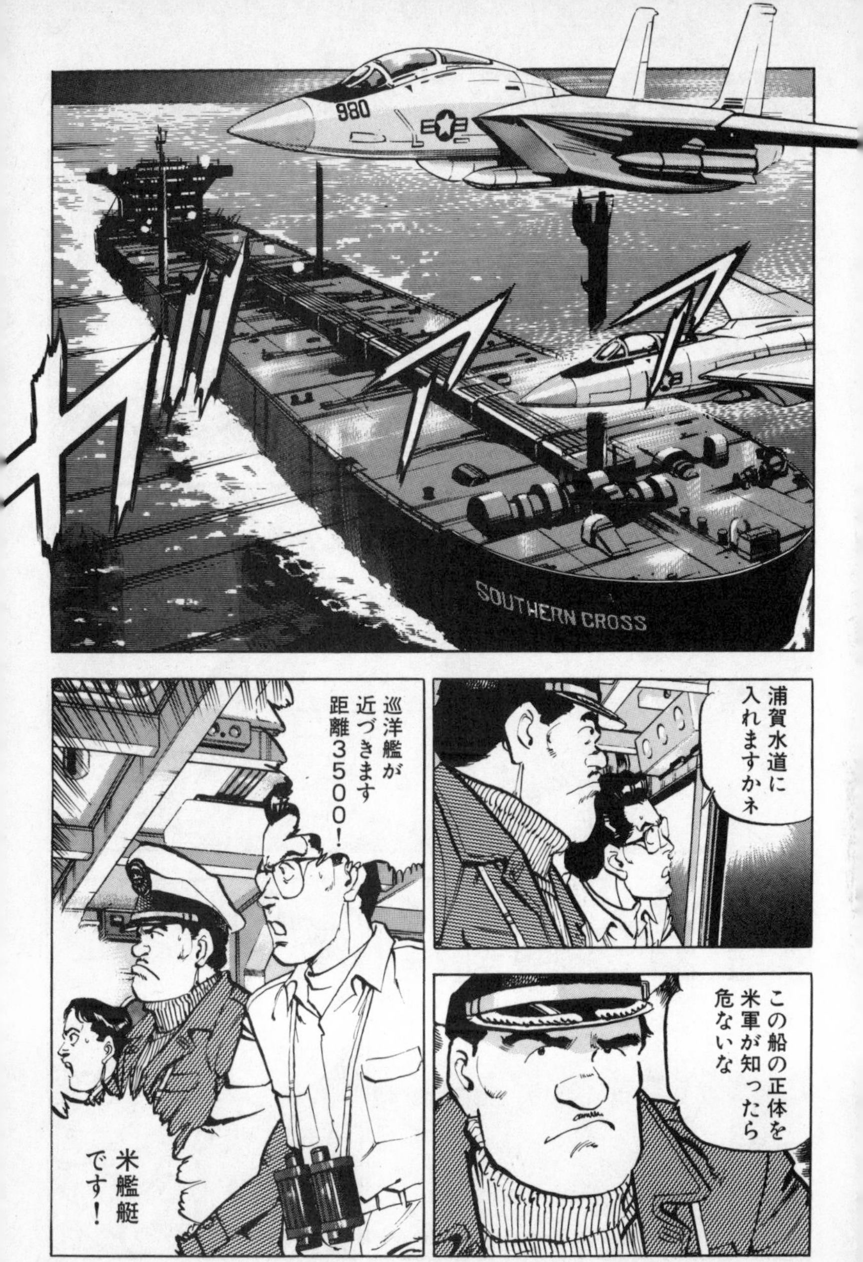
980
SOUTHERN CROSS
浦賀水道に入れますかネ
巡洋艦が近づきます距離３５００！
米艦艇です！
この船の正体を米軍が知ったら危ないな

航行中のタンカーに告ぐ
国籍・船名・積載物 及び
航行先を知らせよ！
ガチャ
国籍は日本
船名「サザンクロス」
積載物は原油10万トン
行き先は京葉コンビナート

現在
東京湾北部へは
一般船舶の航行が
禁じられている
出港地へ
帰港せよ!!
船長!!
さっきの
戦闘機が
引き返して
きます!
いや あれは
自衛隊機だ!!

このラインを突破すれば護衛艦がいる
強引に突っ切るしかなさそうだな

なに
「サザンクロス」が
洋上規制を受けた!?
ハッ
米艦艇に停船を
命じられた
ようです!
それで停船
したのか!?
いえ
米軍が
乗り込んで
検査をすると
なるとマズイな
しかし
このまま浦賀には
入ってこられない
となると
どうなりますか!?
ともかく
米艦隊の規制さえ
突破してくれれば
後はなんとでも
なる!

「やまと」が補給のため 外洋に出ることになる
総理の言われたように それが最も危ない！
残念ながら作戦は中止だ 他の方法を考えねばなるまい
ご苦労…… 元気そうで何よりだ
出来の良すぎる教え子を2人も持つと 気苦労でこの通り頭はもうまっ白じゃよ
第2潜水艦隊司令
田所《たどころ》進《すすむ》海将補
ハッ

わが政府が用意した自走浮きドック「サザンクロス」が本日午後　東京湾に入る予定だ
「やまと」は入港し次第　その浮きドックに入り修理・補給にかかる……が
現在　その「サザンクロス」が相模湾沖で米艦艇の制止にあったらしい
「やまと」の修理・補給は公海上ではなく東京湾内で行う予定ですか!?
ウム　総理はそのつもりだ　友好条約を結んだ以上領海内でと言われておる
というよりまだ「やまと」は外洋に出せんという判断じゃ

背広組の考えることはわかりませんな!
自分が米軍司令なら「やまと」がそのドックに入って反撃できないところをドカンとやりますよ
ドックもろとも爆破してしまえば湾岸への被害も軽くてすむ
だが 政府も万一の場合を考え湾岸の基地を使うわけにはいかんのだ
もちろん 護衛艦も「サザンクロス」の正体を知らん知っておるのはきさまだけだ
!
それはあいにくですな

知っとると思うが総理は隊の指揮権を国連にあずけようとしておられる
そんなバカな手を打たず なんでサッサとムショにぶち込まなかったんですか
〝核〟を持った「やまと」の勝手な行動を封じ込む苦肉の策じゃが
海江田は撃てやしませんよ！
ともかく護衛艦も派手な動きがとれんわけだ
だが友好条約を結んだ以上「やまと」は守らねばならん

「やまと」が「サザンクロス」での修理・補給を終えるまで
きさまには責任ある行動をとってもらう!
責任ですか
そうだ・・・事情を知った・・・者の責任だ
あんなものを持ち込んで小細工したところで米軍相手に何の役にも立ちませんよ
動きのとれないバカでかい図体《ずうたい》だ米軍は大喜びで撃ってきますよ!

そんな手より
もっと安全確実な
方法があります
今すぐ「やまと」を
乗っ取れと
命令して下さい
5分もあれば
やって見せます!
こんな役
お前だけは危ない
と進言したんだが
残念ながら
今はきさましか
おらんのでな
私に命令する
以上は　司令

相手が攻撃してきたら　こっちも撃ちますよ　覚悟して下さい！
優秀な軍人は危機に遭遇《そうぐう》した際臨機応変に対処できるものだ
わかりました
ところできさま海江田の超国家連合軍の具体的な構想をどう思う？
司令ともあろう方がヤツの妄想にたぶらかされてるんですか？
妄想かネ……？

自分の国は
自分で守る！
世界各国が
平和を得るには
自分でやるしか
ないんです
超国家軍で
世界平和なんてな
大きな親切
余計なお世話
ってんです
よ!!
フム……
「サザンクロス」
……？

本日正午　横須賀沖に
入る予定です
わが政府が河島重工に
設計させた特注の
浮きドックです
点検・修理に
必要な機材は
完備しております
SOUTHERN CRO
潜水艦が1隻
スッポリおさまる
よう設計されて
います
それはありがたい
深度1000以上に
耐えられるよう
外殻にキズがないか
点検する必要がある
竹上総理は　まだ
しばらく「やまと」に
東京湾にいて欲しいと
言われるのだな

ハ……
本気で国論をまとめるつもりですな
どうやら総理は……
「サザンクロス」停船せよ!!

10:45
「サザンクロス」は
浦賀水道に入った
SOUTHERN CROS

「沈黙の艦隊」第9巻は、'90年のコミックモーニング32号から40号、および42号に掲載された作品です。
編集部では、この作品に対する皆様の御意見・御感想をお待ちしております。
また、今後「モーニングKC」にまとめてほしい作品がありましたら編集部までお知らせ下さい。

東京都文京区音羽二丁目十二番二十一号
〈郵便番号一一二〉
「講談社コミックモーニング」編集部
モーニングKC係

モーニングKC—237
沈黙の艦隊⑨
一九九一年 二月二十三日 第一刷発行
（定価はカバーに表示してあります）

著者 かわぐちかいじ
発行者 三樹創作
発行所 株式会社講談社
東京都文京区音羽二—一二—二一
郵便番号 一一二
電話 東京(〇三)三九四五—一一一一(大代表)
講談社
印刷所 大日本印刷株式会社
製本所 誠和製本株式会社

ISBN4-06-102737-9 (コモ)　Printed in Japan